Texte: Christiane Duchesne
Illustrations: Mylène Pratt

Un baiser pour Julos

À PAS DE LOUP

Niveau

3

Je dévore les livres

D1622719

À pas de loup avec liens Internet
www.dominiqueetcompagnie.com/pedagogie
ouvre la porte à une foule d'activités pour les enfants, les parents et les enseignants. Un véritable complément à l'apprentissage de la lecture !

Catalogage avant publication de la Bibliothèque nationale du Canada

Duchesne, Christiane
Un baiser pour Julos
(À pas de loup. Niveau 3, Je dévore les livres)
Pour enfants.

ISBN 2-89512-433-7

I. Pratt, Mylène. II. Titre. III. Collection.

PS8557.U265B34 2004 jC843'.54 C2004-940909-3
PS9557.U265B34 2004

Directrice de collection : Lucie Papineau
Direction artistique et graphisme :
Primeau & Barey
Dépôt légal : 1er trimestre 2000
Bibliothèque nationale du Québec
Bibliothèque nationale du Canada

Dominique et compagnie
300, rue Arran, Saint-Lambert
(Québec) Canada J4R 1K5
Téléphone : (514) 875-0327
Télécopieur : (450) 672-5448
Courriel : dominiqueetcie@editionsheritage.com
Site Internet : www.dominiqueetcompagnie.com

Imprimé au Canada

10 9 8 7 6 5 4 3

Nous remercions le Conseil des Arts du Canada de l'aide accordée à notre programme de publication.

Nous reconnaissons l'aide financière du gouvernement du Canada par l'entremise du Programme d'aide au développement de l'industrie de l'édition (PADIÉ) pour nos activités d'édition.

Nous reconnaissons l'aide financière du gouvernement du Québec par l'entremise du Programme de crédit d'impôt pour l'édition de livres – SODEC – et du Programme d'aide aux entreprises du livre et de l'édition spécialisée.

Pour Rémi et Émilie,
loin, loin, là-bas dans
l'Aveyron…

Christiane
Duchesne

Sur le chemin qui
descend vers l'école,
entre les grands pins
et les rares bouleaux,
le petit Julos marche en
regardant ses pieds.

– Gauche, droite,
gauche, droite…
et encore gauche.
Et gauche, gauche,
gauche !

Le pied droit dans sa main droite, le petit
Julos saute tranquillement sur un seul pied.
– Gauche, gauche, gauche, gauche…

Une racine juste à côté d'un trou et,
tout à coup, hop !

Hop ! le petit Julos s'arrête pile.
– Si j'étais comme les autres, j'aurais pu
tomber dans le trou… dit le petit Julos.

Le petit Julos n'est pas comme les autres. Mais les autres ne le savent pas. C'est un immense secret qu'il garde bien au chaud sur le bord de son cœur.

Le petit Julos est plus petit que les autres, il ne saute pas très haut, il ne court pas, il ne nage pas, il ne joue pas au ballon. Jamais.

Mais il possède un cheval.
Un cheval à lui,
un cheval pour lui tout seul,
un petit cheval noir qui
s'appelle Nero.

Personne à l'école
n'a de cheval.

Le petit Julos a un cheval.

Le petit Julos n'est pas
comme les autres.

Hier, une petite fille est entrée dans la classe sans dire un mot. Elle a les cheveux noirs comme la crinière de Nero. Quand elle est entrée, elle a souri doucement.
Elle a dit qu'elle venait d'une autre école.

Elle a dit qu'elle venait de changer de maison, de changer d'école, de changer d'amis.

Elle a souri encore, elle a regardé le petit Julos droit dans les yeux.
Elle a dit qu'elle s'appelait Lola.

Tout le monde court, tout le
monde rit, tout le monde crie
Tout le monde sort de l'école
Finie la journée ! Le petit Julos range
lentement ses affaires. Il lève la tête
Quelqu'un l'observe. Il sent dans son
dos deux yeux qui l'appellent

Il se retourne et il voit Lola, toute droite,
son sac sur le dos et sa tresse par-dessus.
Son cœur fait un petit bond.
— Par quel chemin tu rentres ? demande Lola.
— Par celui-là, répond le petit Julos en
montrant le chemin des grands pins.
— Alors, moi aussi, dit Lola avec un sourire.

Sur le chemin des grands pins,
Lola saisit tout à coup la main du
petit Julos encore toute brune du
dernier été. Et elle se met à courir.
– Non ! hurle Julos. Non !

Lola veut courir jusqu'au premier
bouleau.

Elle part au galop, sa tresse sur
le dos.
– Le premier arrivé aura…
quelque chose !

Elle court, elle court, Lola !

Essoufflée, tout en sourires,
elle s'adosse au premier bouleau
et regarde venir le petit Julos.
—Cours ! crie Lola. Cours un peu
et je te donnerai...
—Non !

Le petit Julos rejoint Lola sous
le premier bouleau.
—Je cours jusqu'au pin qui a
perdu sa tête. Là-bas, tu le vois ?
—Lola, ne cours pas, demande
le petit Julos.

Dans la tête de Lola, des questions…
Il est paresseux ? Il a mal aux pieds ?
Qui c'est, ce drôle de garçon qui
ne veut pas courir ?

Dans la tête de Lola, il y a une idée.
Une idée toute douce. Quand elle
a vu le petit Julos et ses grands yeux
bruns en entrant dans la classe, elle
a eu envie d'un petit baiser. Juste un,
en fermant les yeux.

Dans la tête du petit Julos, il y a
une idée.

Dans la tête du petit Julos,
il y a une idée triste.

Lola et Julos marchent lentement jusqu'au grand pin qui a perdu la tête.

– Chez moi aussi, les arbres ont perdu leur tête. Crac! Cassées par la glace, les têtes! Moi, j'ai gardé la mienne, ajoute-t-elle en riant.

Et Lola parle, parle, parle de son ancienne forêt, aussi belle que celle-ci.

Dans la tête du petit Julos, il y a une question: lui offrira-t-il le secret qu'il garde bien au chaud sur le bord de son cœur?

–Lola, je ne peux pas courir avec toi.

Lola veut lui répondre, mais le petit Julos
ne lui laisse pas le temps de parler.
Il doit faire sortir le secret.
–Je ne pourrai jamais courir avec toi.

Lola ouvre grand ses yeux noirs remplis
de questions muettes.
–Je ne pourrai jamais courir avec toi
parce que je n'ai pas les ressorts qu'il
faut.

Il n'y a pas d'étincelles dans les jambes
de Julos. Il n'y a pas de feu. Julos a des
jambes froides, des jambes fatiguées.
–Elles sont malades?
–Elles sont très malades et
on va les guérir. Mais
ce sera long.

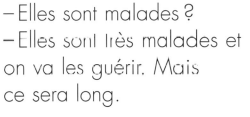

—J'attendrai, dit Lola en prenant la main
du petit Julos.

Le sourire de Lola et ses yeux noirs, droit
dans ceux du petit Julos… Hop, le cœur de
Julos fait encore un bond.

Doucement, ils ont marché jusque chez lui.
—C'est chez moi, dit-il en montrant l'immense
champ doré et la maison, loin, loin là-bas.

Juste à ce moment-là, arrive Nero,
fier comme un grand cheval, noir, noir,
noir comme les yeux de Lola.

–C'est mon cheval! dit fièrement Julos.

Il s'agrippe à la crinière bien drue
et se hisse sur le dos de Nero.
–Monte, Lola! Monte!

Julos tend la main à Lola. Elle saute,
et les voilà tous les deux sur le dos du
cheval.
–Moi, je ne peux pas courir, dit Julos
à Lola. Mais lui, oh! qu'il galope...

Les deux mains serrées
autour de Julos, Lola ferme
les yeux. Ils galopent,
ils volent presque tous les
deux.

Si Nero pouvait sourire,
il le ferait avec bonheur.
Il sent bondir le cœur de
Julos. Il sent sourire le
cœur de Lola. Jamais il
n'a senti son petit Julos
aussi heureux.

Dans le dos de Julos, Lola pique d'invisibles
baisers, ici, et encore ici, et là, un autre.

Julos éclate de rire et crie très fort:
—Lola, c'est un secret. Juste pour nous deux?
—Juste pour nous deux, souffle Lola dans
l'oreille de Julos.

Et là, sous son oreille, elle pique un autre
baiser.

Nero le sent, il faut galoper fort ! Dans son
cœur de petit cheval, il décide de les emmener
jusqu'au bout du champ, là où le soleil va
bientôt tomber.

FIN